# Les Oursons Berenstain
## et la COMPÉTITION SPORTIVE

CHAMPION

Lorsque des oursons veulent
Faire de la compétition,
Leurs parents, sans hésitation,
Leur donnent leur bénédiction.

**PREMIÈRES EXPÉRIENCES**

# SPORTIVE

Dépôt légal, 2e trimestre 1987
Bibliothèque nationale du Québec

ISBN 0-7172-2263-2          1234567890 ML 6543210987

A B C D E F

Sœurette et Frérot habitaient au Pays des Ours avec leurs parents dans la maison dans l'arbre qui se dressait au bord d'un chemin. Selon les saisons, ils pratiquaient des sports différents.

Ils jouaient au football et au soccer à l'automne . . .

au basket-ball et
au hockey sur
glace en hiver . . .

et à leur sport préféré au
printemps, le base-ball.

Dès que le temps se réchauffait, ils sortaient
leur fidèle équipement—balle, bâton et gants—et
ils commençaient à s'entraîner.

Ils jouaient à lance-et-attrape . . .

et s'exerçaient à frapper
la balle avec le bâton.

Ils étudiaient même avec beaucoup
de sérieux les règles du jeu.

Leurs amis, grands amateurs
de base-ball, ne tardaient pas à
se joindre à eux.

Au bout d'un moment, Frérot regarda autour de lui et dit: «Hé! Je crois qu'on est assez nombreux pour faire une partie. On pourrait aller dans la prairie de l'oncle Bertrand et former deux équipes.»

L'oncle Bertrand était très gentil. Depuis des années, il permettait aux oursons de jouer au base-ball dans sa prairie. Bien entendu, la prairie n'était pas un vrai terrain de base-ball, ce qui créait quelques problèmes. Ils établirent des règles spéciales.

Les lignes de jeu n'étaient que les sentiers que les oursons avaient tracés au fil des ans à force de courir. Les joueurs se disputaient donc souvent pour savoir si la balle était hors-jeu ou pas. Il y avait une règle qui interdisait de glisser au deuxième but, car celui-ci était un gros caillou. Et toute balle qui atterrissait dans la mare aux canards était un double automatique. Un temps-mort s'en suivait pendant que les joueurs la repêchaient.

Mais disputes, cailloux et mare aux canards
ne gênaient pas beaucoup Frérot, Sœurette
et leurs amis. Ils formèrent deux équipes
et la partie commença.

Sœurette avait grandi depuis l'année précédente et quand son tour arriva d'être au bâton, elle réussit son tout premier double automatique. Tous les oursons—et même les canards—furent très surpris.

Et quand le cousin Frédéric oublia
de toucher le deuxième but avant de
poursuivre sa course vers le troisième,
Sœurette, qui connaissait bien les règles,
réclama la balle et annonça le retrait de
Frédéric. Celui-ci rouspéta, mais Sœurette lui
fit remarquer que les règles étaient les règles.

«Est-ce vrai?» demanda-t-elle à l'oncle
Bertrand qui regardait la partie.

«Aussi vrai que deux et deux font
quatre», répondit-il.

Le jeu se poursuivit sans anicroches
jusqu'au moment où Frérot envoya
la balle dans le champ d'à côté et
que la chèvre de l'oncle Bertrand
s'en empara.

«Déjà de retour?» dit papa en voyant revenir Frérot et Sœurette.

«Hé, oui!» répondit Sœurette en tenant la balle dans la main. «On a dû arrêter de jouer à cause de la chèvre d'oncle Bertrand. Regarde, elle a complètement déchiqueté l'extérieur de la balle.»

Papa fut très impressionné d'apprendre que Frérot avait réussi un long coup sûr et Sœurette un double automatique.

«J'ai l'impression que vous pourriez peut-être envisager de jouer à du vrai base-ball, sur un vrai terrain», dit papa. «On annonce justement dans le journal que la Ligue des Oursons du Pays des Ours va bientôt organiser des épreuves de qualification.»

«Un instant!» l'interrompit maman. «Cette ligue dont tu parles est très forte et pendant les qualifications il va y avoir beaucoup de tension.»

«Quelle tension?» demanda Sœurette. «Qu'est-ce que tu veux dire par là?»

«Ce que je veux dire, c'est que vous ne serez pas les seuls en compétition et que tout le monde ne sera pas sélectionné pour jouer dans l'équipe», dit maman. Puis, elle ajouta: «Mais, vous jouez pas mal tous les deux. C'est donc à vous de décider.»

«Ça ne coûte rien d'aller se renseigner», dit papa.

«Oh, là, là!» s'exclama Frérot quand il vit le
terrain de jeu de la Ligue des Oursons. C'était
un vrai terrain, avec une palissade, des lignes de
jeu, des buts, des gradins et tout et tout.

Et puis, les joueurs portaient
un uniforme. Frérot et Sœurette
s'inscrivirent sur-le-champ.

LIGUE DES OURSONS DU PAYS DES OURS

CHAMPIONS
DE L'ANNÉE DERNIÈRE

NOM
ET
ADRESSE

Ils s'entraînèrent très sérieusement pour les qualifications. Ils s'exercèrent à lancer la balle et à l'attraper. Maman leur montra comment tenir le bâton plus haut pour attraper une balle rapide. Ils s'entraînèrent même à arrêter la balle sans pivoter et à courir les buts. Mais, au fur et à mesure que le jour des qualifications approchait, leur nervosité augmentait.

«Calmez-vous», leur conseilla maman. «Ce n'est qu'un jeu après tout. Le pire qui puisse arriver est que vous ne vous qualifiiez pas. Dans ce cas, vous pourriez toujours essayer à nouveau l'année prochaine.»

«Non, ce n'est pas le pire qui puisse arriver, maman», dit Frérot l'air très inquiet. «Le pire serait que Sœurette se qualifie et moi pas.»

«C'est une remarque sexiste!» lui rétorqua Sœurette d'un ton rageur.

«Non, tu n'as pas entièrement raison, Sœurette», dit maman. «N'oublie pas que Frérot est un peu plus âgé que toi et qu'il est aussi très fier de la façon dont il joue au base-ball.»

«Là je comprends ce que tu voulais dire par tension», dit Sœurette.

Le jour des qualifications arriva enfin. Il y avait des oursons sur tout le terrain et des officiels de la ligue qui portaient des lunettes de soleil, sans doute pour que l'on ne devine pas leurs pensées. On avait attribué à chaque ourson un numéro et les officiels se promenaient sur le terrain en observant les joueurs et en cochant leur nom respectif sur une planchette. Vous parlez d'une tension!

Au début, Sœurette et Frérot se sentaient très nerveux. Sœurette manqua une balle au rebond très facile et Frérot pivota trop rapidement, rata la balle et tomba sur le derrière. Mais, au bout d'un petit moment, ils se détendirent et les choses allèrent mieux pour eux.

Frérot se rappela qu'il fallait tenir le bâton plus haut. Il réussit un excellent simple et alla au deuxième but car le voltigeur n'attrapa pas la balle. Quant à Sœurette, elle attrapa quelques balles au rebond. Plus tard, alors qu'elle était au bâton, elle fit sa troisième prise, mais le receveur échappa la balle. Elle courut donc jusqu'au premier but. Il y eut des protestations mais l'officiel déclara qu'elle avait raison.

«Alors les enfants, tout a bien marché?»
demanda maman, lorsque papa et elle vinrent les
chercher après les qualifications.

«Difficile à dire», répondit Frérot. «Nous
n'étions certainement pas les meilleurs.»

«Mais nous n'étions pas non plus les pires»,
ajouta Sœurette. «De toute façon, ce n'est qu'un
jeu et le pire qui puisse arriver est que nous ne nous
qualifiions pas.»

«Tu as raison», soupira Frérot. «Il ne nous
restera qu'à essayer à nouveau l'année prochaine.»

«Quand connaîtrez-vous les
résultats?» leur demanda papa
sur la route du retour.

«Ils seront affichés
demain», lui répondit Frérot.

«Vous ne croyez pas qu'on devrait aller jeter un coup d'œil sur le tableau d'affichage», dit papa le lendemain.

«Oui, je suppose», répondit Frérot.

«Pourquoi pas?» ajouta Sœurette.

Lorsqu'ils arrivèrent au stade, Frérot et Sœurette se précipitèrent vers le tableau d'affichage.

«Tu me parles d'une tension!» dit papa en s'essuyant le front pendant que maman et lui attendaient dans la voiture.

«Oui, tu l'as dit», soupira maman.

Finalement, Frérot et Sœurette se détachèrent en criant de la foule qui se tenait devant le tableau d'affichage.

«Nous sommes sélectionnés! Nous sommes sélectionnés!» criaient-ils en sautant de joie.

«Il y a quatre équipes dans la ligue», hurla Sœurette. «Les Cardinaux, les Mésanges, les Colibris et les Pinsons. Nous sommes tous les deux dans l'équipe des Cardinaux.»

«Formidable!» dit papa.

«Félicitations!» ajouta maman.

Le jour de la première partie, les oursons avaient fière allure dans leur uniforme. Papa et maman avaient pris place dans la tribune d'honneur. Frérot était au bâton. Le lanceur des Pinsons se mit en position et envoya une balle rapide. Frérot la regarda passer.

«Prise!» annonça l'arbitre.

«Ce n'est pas une prise!» s'écria maman en agitant son chapeau. «La balle est passée à un kilomètre! Et vous dites que vous êtes arbitre!»

«Maman, je t'en prie!» lui cria Sœurette. «Calme-toi! N'oublie pas que ce n'est qu'un jeu.»

«Excuse-moi», dit maman. Elle
remit son chapeau, se rassit et suivit
avec plaisir le reste de la partie.